Observemos las ballenas

Contenidos

Brenda Parkes

Introducción

Hace tiempo, se cazaban ballenas por su carne, su grasa y sus huesos. Pero ahora está prohibido cazar la mayoría de las ballenas.

Hoy día, los científicos y muchas otras personas observan las ballenas. Han descubierto muchas cosas interesantes sobre su vida en el mar.

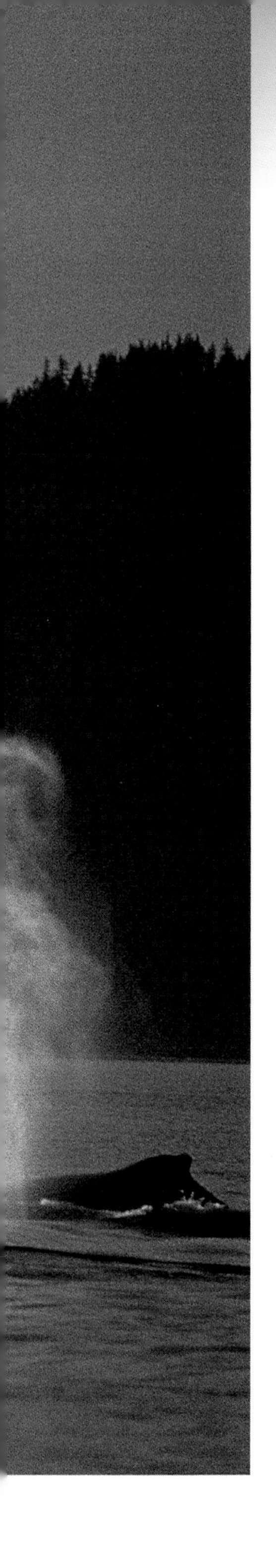

Cómo respiran las ballenas

Las ballenas viven en el mar, pero no son peces. Cuando están bajo agua, contienen la respiración.

Cuando salen a la superficie, exhalan y echan chorros de vapor de agua.

Diferentes tipos de ballenas

Hay muchos tipos de ballenas. Algunas tienen dientes. Se llaman odontocetos.

Otro tipo de ballenas no tiene dientes. Estas ballenas se llaman misticetos. Tienen una serie de láminas córneas o barbas en la boca. Estas barbas atrapan peces pequeños y plantas en la boca de la ballena y filtran el agua hacia fuera.

Estudiando las ballenas jorobadas

Un tipo de ballena de barbas que los científicos observan mucho es la ballena jorobada.

Como todas las ballenas, las ballenas jorobadas tienen dos aletas caudales que forman la aleta de la cola.

Estas aletas tienen manchas que son como las huellas digitales de las personas. No hay dos ballenas con las mismas manchas.

Ballenas que cantan

Las ballenas jorobadas cantan.
Los cantos están hechos de una
serie de sonidos que se repiten y
pueden durar horas.

Algunos científicos han grabado
el canto de las ballenas jorobadas.
Creen que las ballenas jorobadas
cantan para atraer a una
compañera o un compañero
o para poner en alerta a
sus enemigos.

En casa en el mar

En verano, las ballenas jorobadas viven y se alimentan en aguas frías. A veces usan trucos para atrapar peces. La ballena se sumerge hacia el fondo del mar y hace burbujas. Estas burbujas sirven de red y atrapan muchos peces pequeñitos.

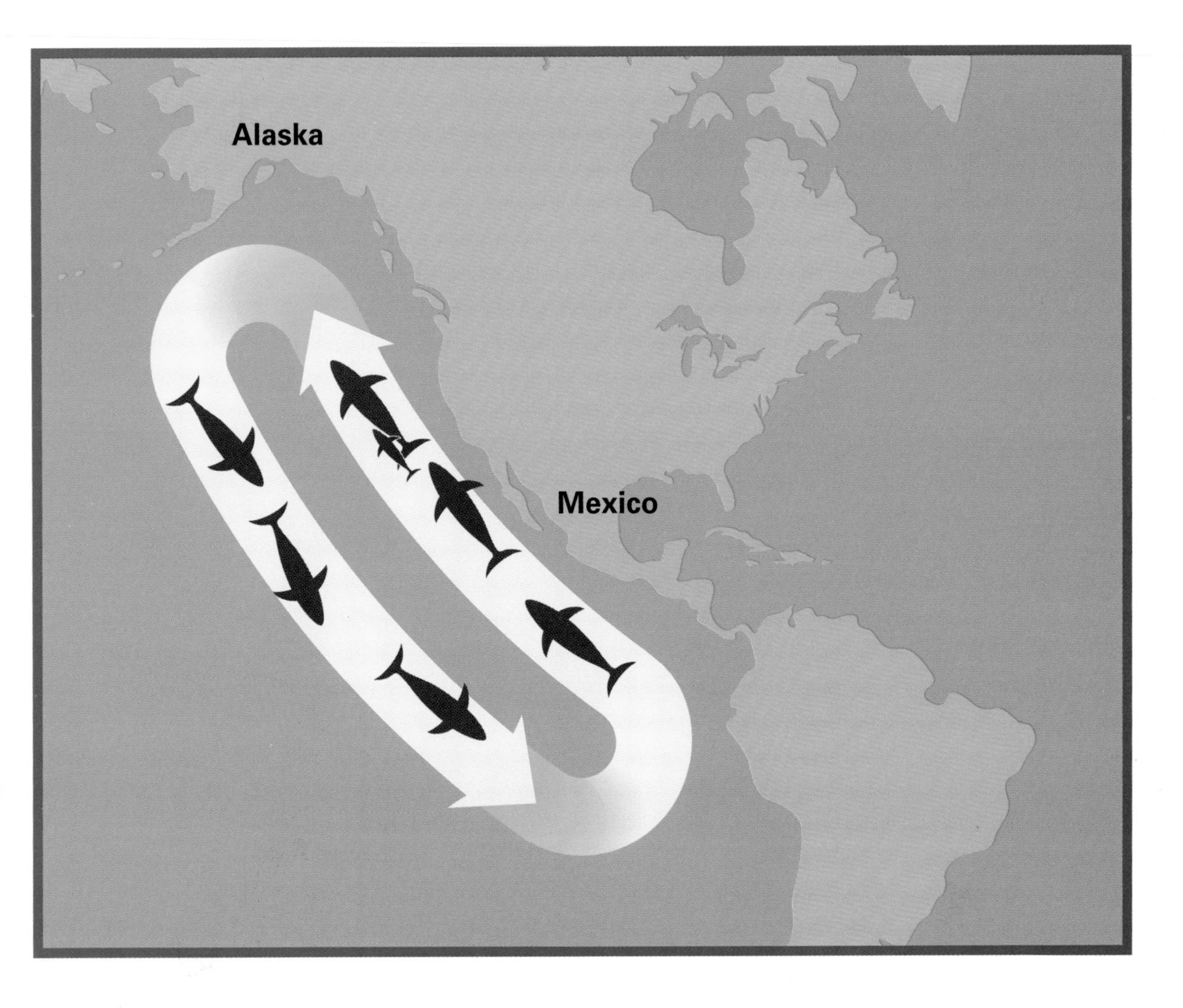

Antes de que empiece el invierno, las ballenas viajan, o migran, a aguas más cálidas. Las flechas del mapa muestran las rutas de migración. En el verano, las ballenas viven en las aguas frías de Alaska. En el invierno, viajan al sur para vivir en las aguas más cálidas cerca de México.

Los bebés de ballena

Los bebés de las ballenas se llaman ballenatos. Los ballenatos de las ballenas jorobadas nacen después de que las mamás lleguen a las aguas más cálidas. Cuando nace el ballenato su mamá lo ayuda a subir a la superficie. Entonces el bebé respira por primera vez.

Las ballenas jorobadas adultas no comen cuando están en aguas cálidas. Pero los ballenatos se alimentan de la leche de sus mamás. Cuando los ballenatos son lo suficientemente fuertes, migran con sus mamás de vuelta a las aguas frías donde se alimentan.

Estas personas están observando las ballenas. Un día quizá tú también veas una ballena de cerca.